Go GIRL!
La bande des Six

Catalogage avant publication de Bibliothèque et Archives nationales du Québec et Bibliothèque et Archives Canada

Kalkipsakis, Thalia

Charlotte la timide

(Go girl!)
Traduction de : Bush babies
Pour les jeunes.

ISBN 978-2-7625-9543-7

I. Dixon, Sonia. II. Miglionico, Florence. III. Titre.
IV. Collection : Go girl!.

Bush Babies de la collection GO GIRL! DIFFERENCE
Copyright du texte © 2008 Thalia Kalkipsakis
Maquette et illustrations © 2008 Hardie Grant Egmont
Le droit moral de l'auteur est ici reconnu et exprimé.

Version française
© Les éditions Héritage inc. 2013
Traduction de Florence Miglionico
Infographie de D.sim.al/Danielle Dugal et Nancy Jacques
Révision et correction de Danielle Patenaude

Nous reconnaissons l'aide financière du gouvernement du Canada par l'entremise du Fonds du livre du Canada.

Nous reconnaissons l'aide financière du gouvernement du Québec par l'entremise du Programme de crédit d'impôt – SODEC.

GO GIRL!
La bande des Six

Tome 2

Charlotte la timide

PAR
THALIA KALKIPSAKIS

TRADUCTION DE FLORENCE MIGLIONICO

ILLUSTRATIONS DE
SONIA DIXON ET
DANIELLE McDONALD

INSPIRÉES DES ILLUSTRATIONS DE ASH OSWALD

Héritage jeunesse

Chapitre
* un

— Au revoir, Charlotte ! Passe une bonne journée ! lance sa mère depuis la porte d'entrée.

Charlotte referme la clôture derrière elle et lui fait un signe de la main.

— Salut, maman ! crie-t-elle.

Puis, elle s'élance sur le trottoir avec ses patins à roues alignées.

Il y a des creux et des bosses, mais c'est ce qui rend le trajet amusant. Le soleil brille et l'air est chaud.

«J'espère qu'on fera des activités dehors aujourd'hui», se dit joyeusement Charlotte.

Après avoir jeté un coup d'œil par-dessus son épaule pour vérifier que personne ne regarde, Charlotte s'amuse à faire des mouvements rigolos. Elle agite ses bras gracieusement, comme une ballerine.

Ces vacances vont être géniales.

Puis, elle donne de nouveau une poussée avec ses pieds et essaie de faire quelques mouvements cadencés, très cool. De la danse sur roulettes !

Soudain, le cœur de Charlotte fait un bond dans sa poitrine lorsqu'elle entend des aboiements. Elle rigole en réalisant qu'il s'agit simplement d'un petit chien tout ébouriffé derrière la clôture. Elle effectue alors un de ces demi-tours sur elle-même qu'elle a longuement pratiqués pour s'arrêter et jette un coup d'œil à travers le portail.

— Bonjour toi, dit-elle doucement.

Le chien cesse immédiatement d'aboyer et se met à remuer la queue comme un fou, encore et encore, en formant des cercles irréguliers. «Comme il est adorable», pense Charlotte.

— Au revoir, petit chien, lance-t-elle avant de repartir sur ses patins. Charlotte *adore* les animaux. Hier, au camp de jour, lorsque Jade a dit qu'elle aimait les oiseaux et les papillons, Charlotte aurait bien voulu dire qu'elle adorait les animaux aussi. Ou même simplement parler de son chat Biscuit aux filles de son nouveau groupe de base.

Le problème est que, pour parler des animaux avec les autres, Charlotte doit d'abord être capable de parler tout court ! Charlotte est toujours très réservée lorsqu'elle est avec de nouvelles personnes.

Ce n'est pas parce que Charlotte ne veut pas parler ou se faire de nouveaux amis, c'est plutôt parce que les mots lui échappent chaque fois qu'elle se sent timide. Au lieu de réfléchir à quelque chose d'intéressant à dire, elle se demande ce que l'autre va en penser. Surtout lorsqu'elle ne connaît pas bien cette personne.

Charlotte ralentit et se penche légèrement sur ses patins pour effectuer un virage au coin. Puis, elle pousse fort pour reprendre de la vitesse et se dirige vers le centre communautaire.

Lorsqu'elle arrive à la clôture, Charlotte s'arrête et jette un coup d'œil par-dessus. Quelques enfants qu'elle ne connaît pas remontent le chemin en courant. Alors que Charlotte regarde la scène, son cœur se met à battre un peu plus rapidement, comme chaque fois qu'elle se trouve en présence de nouvelles personnes.

Au moins, elle se sent mieux qu'hier. Charlotte était tellement nerveuse au début du camp de jour que c'était comme s'il y avait eu un sac de gelée tremblotante dans son ventre !

En fait, il y avait eu plusieurs moments amusants, dont la leçon de hip-hop en particulier. Et, même si normalement Charlotte trouve que c'est difficile de se faire de nouveaux amis, cela ne lui avait pris que quelques minutes avant de se sentir à l'aise avec Magalie. Elles se sont tout de suite bien entendues !

Charlotte est aussi dans le même groupe que Bianca. Bianca est dans sa classe à l'école, mais elles n'ont jamais vraiment passé de temps ensemble. Charlotte connaît aussi un peu Jade de l'école de danse. Et Rosalie est tellement drôle et espiègle que Charlotte l'a tout de suite bien aimée.

En fait, la seule fille du groupe avec qui Charlotte n'est pas sûre de s'entendre est Jessica — surtout depuis qu'elle s'est moquée d'elle hier, pendant le dîner.

De toute façon, peu importe si Jessica n'est pas sympathique, puisqu'il y aura demain une sortie au Centre de conservation de la vie sauvage Wonga. Tout le monde y va et Charlotte a vraiment hâte.

La mère de Jade y travaille et depuis que la fillette a révélé qu'une surprise les attendait là-bas, Charlotte meurt d'envie de savoir ce que c'est. Peut-être qu'ils auront la chance de nourrir les animaux? Ou bien de prendre un koala dans leurs bras ? Ou bien de caresser un serpent ?

« Qu'est-ce que je vais faire si on nous DEMANDE de caresser un serpent ? », se questionne Charlotte en frissonnant.

La façon dont Rosalie et Jessica ont chuchoté entre elles lorsque Jade a parlé de la surprise laisse croire à Charlotte qu'elles savent déjà de quoi il s'agit. Peut-être que Jade peut en parler à Charlotte également. Ou au moins, lui donner un indice...

« Si seulement j'avais le courage de lui demander », se dit-elle.

Chapitre

deux

Il y a beaucoup de bruit en provenance du terrain de basket lorsque Charlotte pousse la grille. Elle se laisse glisser sur ses patins avant de freiner brusquement pour bien voir le terrain. Soudain, elle voit le ballon passer à toute vitesse dans les airs avant de retomber dans le panier. Une acclamation retentit sur le terrain.

— Bien joué, Bianca ! dit Loïc.

— Tu es la meilleure ! crie quelqu'un d'autre.

Charlotte sourit. Elle a vu Bianca jouer au basket à l'école et sait qu'elle est très bonne. Bianca joue toujours au basket pendant le dîner, alors que Charlotte préfère passer du temps avec sa meilleure amie Laura.

Mais Charlotte aime l'idée d'être amie avec Bianca, maintenant qu'elles sont dans le même camp de jour. «Je vais lui faire un signe de la main pour la saluer», se dit Charlotte. Elle prend une grande respiration et lève le bras.

— Euh... salut, Bianca ! crie-t-elle. Sa voix semble s'envoler dans les airs.

Elle fait un signe de la main pour essayer de capter l'attention de Bianca. Mais Bianca continue à dribler comme si elle n'avait rien entendu. Charlotte baisse le bras, se sentant un peu bête.

«Peut-être que lorsque je la connaîtrai mieux, j'irai jouer avec elle, décide Charlotte. Nous sommes presque amies, mais pas tout à fait.»

Oui, c'est une bonne façon de décrire la situation. Un *presque*-ami est quelqu'un que Charlotte connaît et qu'elle veut apprendre à mieux connaître.

Mais en attendant que des presque-amis deviennent de vrais amis, Charlotte se sent timide et bête avec eux.

Lorsqu'elle entre dans le centre, Charlotte échange son casque pour son bandeau mauve préféré et range ses patins dans son sac.

Alors que quelques enfants la dépassent en courant, Charlotte rajuste son chandail, défroisse son jean et ajuste son bandeau. Puis, elle prend une grande inspiration, comme avant un spectacle de danse, et entre dans la salle. Elle peut voir Jade et Rosalie assises dans le coin bibliothèque avec une toute petite fille. Les yeux de la petite sont rouges — elle doit avoir pleuré.

«Roche, papier, ciseaux», scandent ensemble la petite fille et Rosalie, en agitant trois fois leurs poings de haut en bas. À la troisième fois, la petite fille forme des ciseaux avec ses doigts. Pendant une demi-seconde, Rosalie garde son poing fermé pour former

Je me sens un peu timide.

une roche. Puis, elle l'ouvre à plat pour en faire un papier.

— Oh... tu as encore gagné ! dit Rosalie en faisant semblant d'être déçue.

La petite fille saute fièrement sur son coussin. Charlotte sourit en regardant la scène. Rosalie a toujours l'air de savoir comment rendre les gens à l'aise.

Jade lève les yeux et sourit à Charlotte. Charlotte lui rend son sourire avant de baisser le regard vers ses chaussures. Immédiatement elle regrette d'avoir fait cela. À présent, elle ne peut plus voir si le sourire de Jade voulait dire « viens nous rejoindre » ou si elle cherchait simplement à être amicale.

Charlotte veut aller leur dire bonjour. Peut-être qu'elle pourrait même en apprendre davantage sur la surprise qui les attend demain au Centre de conservation de la vie sauvage.

Lorsque Charlotte lève de nouveau les yeux, Jade et Rosalie sont en train de faire des chatouilles à la petite fille qui pousse des rires perçants.

Elle connaît assez Jade pour lui sourire, mais peut-être que c'est tout. «Jade est une autre presque-amie», se dit Charlotte en soupirant.

Chapitre trois

Charlotte cherche Nina, la responsable du camp. Elle l'aime beaucoup. Nina est très calme et ne s'énerve jamais — elle n'est pas du tout comme une enseignante normale ! Et Charlotte la trouve très jolie.

Elle aperçoit Nina en train de parler à un petit garçon. Elle porte des collants rayés sous une jupe à froufrous qui ressemble à un tutu.

«Calme à l'intérieur, radieuse et cool à l'extérieur! pense Charlotte. C'est exactement comme ça que j'aimerais être.»

Mais Charlotte ne se sent pas calme. Encore moins radieuse ou cool. Elle veut que le programme d'aujourd'hui commence. Rester debout avec personne à qui parler lui donne l'impression d'avoir sur son front un grand panneau où l'on peut lire «seule et triste».

Lentement, Charlotte se tourne et scrute la salle, à la recherche des cheveux noirs de Magalie. Quelques garçons de son école essaient de faire voler d'énormes avions en papier. Mais elle ne voit Magalie nulle part.

Hier, Charlotte est restée le plus possible aux côtés de Magalie. Pas exactement comme des meilleures amies, plutôt comme deux filles qui ne connaissent personne d'autre! Mais déjà, elle apprécie beaucoup le fait que Magalie semble comprendre sa timidité.

Avec un serrement de gorge, Charlotte a soudain une pensée terrifiante. Elle et Magalie viennent juste de se rencontrer. Comment peut-elle être sûre que Magalie voudra rester avec elle aujourd'hui?

— Salut, Charlotte, par ici!

L'appel de son nom la ramène brutalement à la réalité. Elle se retourne et aperçoit Magalie qui sort de la cuisine en lui adressant un sourire.

Charlotte lui fait un grand sourire et va la rejoindre.

— J'avais peur que tu ne viennes pas aujourd'hui! dit Magalie.

Heureusement, Magalie est là !

Charlotte rit.

— Pareil pour moi !

Ce n'est pas étonnant qu'elles se soient si rapidement bien entendues hier. Toutes les deux, elles se font du souci pour les mêmes choses.

Avec un sourire, Magalie retire un petit rectangle en carton bleu de la poche arrière de son jean.

— Devine comment je suis venue aujour-d'hui? demande-t-elle, en agitant le carton devant Charlotte.

Charlotte penche la tête sur le côté, en suivant la main de Magalie.

— Arrête de bouger pendant une seconde, dit-elle. Toute cette agitation lui fait tourner la tête !

Magalie se met à glousser et tient le billet immobile. Maintenant, Charlotte peut le voir.

— En train ! dit-elle. C'est cool, Magalie.

Charlotte rayonne de fierté. Venir au camp de jour aujourd'hui sans utiliser la voiture est son idée ! Leur groupe en a discuté hier pen-dant une séance de remue-méninges pour le projet « faire une différence ».

Magalie glisse le billet dans sa poche.

— Il y avait beaucoup de monde, dit-elle. Papa et moi avons dû rester debout durant tout le trajet.

Charlotte jette un coup à Jade et Rosalie qui sont en train de parler et de rire avec Jessica. Elle se demande si elles aussi sont venues sans voiture.

— Comment es-tu venue aujourd'hui, Charlotte? demande Magalie.

— En patins à roues alignées, répond-elle en souriant tandis que le visage de Magalie s'éclaire.

— Eh! Trop cool! s'exclame Magalie.

Charlotte rougit de plaisir. Peut-être qu'aujourd'hui *va être* aussi amusant qu'hier!

Chapitre quatre

Cui, cui, cui.

Le son d'un sifflet oiseau coupe court aux bavardages et la salle devient silencieuse. Tout le monde se tourne vers Nina.

— C'est le moment de rejoindre vos groupes ! crie-t-elle. Aux tables, aujourd'hui.

Tous les enfants tirent des chaises pour s'asseoir. On entend un vacarme énorme lorsque Cédric et Philippe, des garçons du groupe un, essaient de s'asseoir sur la même chaise. Charlotte et Magalie se regardent en levant les yeux au ciel.

Benjamin place une feuille de papier blanc devant chaque enfant. Charlotte s'assoit près de Magalie. Jade et Rosalie sont assises à l'autre bout de la table et discutent joyeusement.

— Salut, Charlotte ! dit Bianca en se laissant tomber sur sa chaise. Du coup, elle souffle sur une mèche rebelle pour la dégager de son front avant de sourire aux autres.

Charlotte sourit timidement.

— Salut, Bianca.

Puis, Charlotte jette un coup d'œil à la seule chaise vide de la table — juste à côté d'elle. Magalie, Bianca, Jade et Rosalie sont déjà assises. «Ça veut dire que je vais être assise à côté de Jessica», réalise-t-elle avec angoisse.

Jessica tire sa chaise et rejette en arrière ses longs cheveux avant de s'asseoir. Charlotte s'agite sur la sienne. Elle se sent toujours un peu mal à l'aise quand Jessica est dans les parages.

— Salut, la bande des branchés! dit Jessica, en s'accoudant sur la table.

Charlotte lui adresse un sourire, mais qui n'est pas très naturel. Elle ne peut s'empêcher de penser au dîner d'hier lorsque Jessica s'est moquée du gargouillement bruyant de son ventre.

Jamais Charlotte ne se moquerait de quelqu'un comme l'a fait Jessica. Même s'il s'agissait de sa meilleure amie. Elle a passé sa vie entière à s'inquiéter des sentiments des autres et de ce qu'ils pensaient d'elle.

D'un doigt, Charlotte pousse le coin de sa feuille de façon à ce qu'elle soit alignée avec le bord de la table. Cela lui donne quelque chose à faire pour ne pas avoir à regarder Jessica.

«Nous sommes juste trop différentes, constate Charlotte. Je ne pense même pas que Jessica puisse devenir une presque-amie. »

— Ce matin, nous allons dessiner des monstres ! dit Nina d'une voix lugubre pour les faire rire

— Bouh ! crie Loïc de la table des garçons, ce qui fait rire les plus jeunes.

Benjamin lève les mains pour avoir l'attention de tout le monde.

— Mais pas *n'importe quel* monstre! crie-t-il. Nous aimerions voir de quoi vous auriez l'air si *vous* étiez un monstre.

Tout le monde se met au travail et on entend juste le bruissement du papier et parfois quelques gloussements. Charlotte aime l'activité. C'est beaucoup plus facile que de parler devant le groupe comme ils l'ont fait hier.

Très vite, tout le monde a la tête penchée et travaille avec ardeur.

Charlotte sourit en voyant Magalie sortir la langue. Charlotte a remarqué que Magalie sort toujours la langue lorsqu'elle se concentre fort.

Et Magalie est souvent très concentrée!

Charlotte fixe sa feuille blanche. «Quel genre de monstre est-ce que je serais?», se demande-t-elle.

C'est avec application qu'on dessine une grosse tête de monstre avec une toute petite bouche fermée. Puis, elle trace deux gros yeux... non, *trois* gros yeux, pour que le monstre puisse voir tout ce qui l'entoure.

— Beau travail, les filles! dit Nina alors qu'elle passe devant leur table.

Charlotte commence à colorier la robe de son monstre en orange lorsqu'elle ressent soudain la curieuse impression que quelqu'un l'observe. Charlotte lève les yeux et voit que Jessica est en train d'observer ses vêtements, puis ses sandales. Elle a les sourcils froncés.

«Qu'est-ce qui cloche avec mes vêtements?», se demande-t-elle, se sentant plus que jamais très mal à l'aise. Elle baisse les yeux sur son chandail et ses sandales, pour voir s'il n'y a pas de tache. «Peut-être qu'il y a une trace de dentifrice quelque part sur moi? Ou du yogourt?»

Mais Charlotte ne voit rien. Lorsqu'elle lève les yeux à nouveau, Jessica est en train de travailler comme si de rien n'était.

« Qu'est-ce que c'est que cette histoire ? », s'inquiète Charlotte.

D'abord, Jessica s'est moquée de Charlotte au sujet de son ventre qui gargouille. Et maintenant, quoi ?

Après une minute, Charlotte se remet au travail. Du moins, elle *essaie* de travailler. Ce n'est pas facile, car elle se laisse distraire par ses pensées.

« Pourquoi Jessica regardait-elle mes vêtements ?

Pourquoi fronçait-elle les sourcils ?

Mais surtout, pense-t-elle tout à coup, pourquoi Jessica ne m'aime-t-elle pas ? »

Chapitre cinq

Charlotte accroche son monstre à côté des autres sur le tableau d'exposition. Elle se recule un peu pour mieux admirer les autres dessins. Les monstres sont plus drôles qu'effrayants. Et ils sont tous totalement différents. Charlotte est certaine de pouvoir deviner qui a dessiné quel monstre sans regarder le nom derrière la feuille.

Le monstre de Magalie est très beau. Il a plusieurs bras qui semblent presque bouger et sa peau est couverte de motifs en spirales.

En fait, le monstre de Rosalie ressemble plus à un superhéros qu'à un monstre.

Il est clair que Bianca a vite fait le sien. Elle semble avoir passé plus de temps sur les ballons avec lesquels le monstre jongle que sur lui-même !

Mais curieusement, le monstre le plus remarquable pour Charlotte est celui dessiné par Jessica.

Elle incline la tête, fixant son regard sur le monstre aux yeux exorbités et aux cheveux noirs en bataille de Jessica. C'est le seul monstre qui porte des bijoux et des vêtements cool. Jessica a tracé un collier noir autour de son cou et l'a vêtu d'une petite veste rouge. C'est un monstre qui a du style !

Charlotte se retient de regarder le monstre de Jessica trop longtemps. Elle a peut-être réussi à comprendre le monstre, mais c'est une autre histoire en ce qui concerne Jessica.

— Bon, les enfants ! C'est l'heure de profiter du soleil ! crie Nina. Nous allons faire une différence de deux façons aujourd'hui. Le groupe un va changer les règles du basket pour que tout le monde puisse jouer, même les plus jeunes. Et les filles du groupe trois ont eu une *merveilleuse* idée hier pour faire une différence sur le mur extérieur. Tous ceux qui aiment peindre, venez avec moi !

Tout le monde se dirige alors vers la sortie. Charlotte regarde Magalie.

— Eh, Charlotte et Magalie ! crie Bianca, qui a déjà un ballon de basket entre les mains. Voulez-vous essayer de jouer au basket ? Comme nous allons changer les règles, cela va être plus facile de marquer des points.

Charlotte a envie d'accepter avec enthousiasme — jusqu'à ce qu'elle remarque l'expression sur le visage de Magalie. Magalie a l'air de quelqu'un qui a mangé quelque chose de dégoûtant. Elle ne semble pas du tout vouloir jouer.

— Oh, merci Bianca, dit Charlotte en jetant un coup d'œil à Magalie. Mais nous allons faire un peu de peinture.

— Bon, moi, ça me tente ! crie Rosalie en arrachant le ballon des mains de Bianca avant de le lancer dans les airs.

Bianca fait un grand sourire.

— Bon, allons-y alors !

Charlotte les regarde s'éloigner. Elle vient juste de rater une chance d'apprendre à mieux connaître Bianca. Pourtant, elle se sent plus à l'aise de rester avec Magalie.

Au début, Charlotte est déçue : ils ne peuvent pas commencer à peindre la murale. Pas

J'aurais aimé aller jouer avec Bianca.

avant d'avoir enlevé les vieux morceaux de peinture écaillée.

Mais plus elle gratte, polit la surface et éternue, plus Charlotte s'amuse. C'est agréable d'agir pour améliorer quelque chose que tout le monde voit. Même si ça ne fait pas encore très longtemps qu'ils se sont mis au travail, le mur a déjà meilleure allure.

Un groupe de petits enfants grattent le bas du mur, en bavardant et en riant pendant qu'ils travaillent. Magalie est montée sur un escabeau, pour gratter le haut. Elle et Charlotte tiennent l'escabeau et grattent à tour de rôle. Un morceau de peinture écaillée tombe à côté de Charlotte, lui faisant lever les yeux.

— Comment ça va là-haut, Magalie ? crie-t-elle.

— Ça roule ! répond Magalie à bout de souffle. Ses longues tresses se balancent pendant qu'elle travaille.

Charlotte peut voir quelques enfants qui entourent Nina près du potager. Ils hochent la tête et pointent quelques plantes du doigt. C'est facile de reconnaître les cheveux blond vénitien de Jade parmi ceux des enfants qui composent ce groupe.

Charlotte a remarqué les magnifiques cheveux de Jade au concert de danse l'année dernière. «Je me demande sur quelle chanson elle dansera cette année», pense tout à coup Charlotte. Ce serait bien de pouvoir simplement lui demander comment se passent ses cours de danse et si sa classe a choisi une chanson.

« Rosalie l'aurait fait sans même y penser. Elle n'a aucun problème pour aller parler à de nouvelles personnes », se dit Charlotte.

« Mais moi oui », soupire-t-elle. Elle sait bien ce qui arrivera si elle parle à Jade. Elle deviendra toute rouge et sera incapable de prononcer un seul mot.

Chapitre six

Le dîner se déroule dans le calme, car Charlotte et Magalie mangent en tête à tête.

Lorsque Magalie désire s'engager sur le chemin qui mène à la table sous l'arbre, Charlotte fait quelques pas en arrière, un peu nerveuse. Après ce qui s'est passé hier, elle n'a pas vraiment envie de manger avec Jessica.

Magalie se retourne.

— Allez, viens, Charlotte. Ce sera amusant de manger avec le reste de la bande. Tu as dit que tu voulais te faire de nouveaux amis hier, non ?

Charlotte hoche la tête, sans bouger pour autant. Elle ne pourra jamais être amie avec Jessica !

Pendant un moment, Magalie regarde le reste du groupe au bout du chemin. Puis, elle pousse un soupir.

— D'accord. Assoyons-nous près de la murale, dit-elle gentiment. Comme ça, nous verrons le travail qu'il nous reste à faire dessus.

Charlotte hoche rapidement la tête en souriant. « Qu'est-ce que je ferais sans Magalie ? pense-t-elle. J'aurais probablement trop peur de parler à mes presque-amies et je me sentirais mal à l'aise chaque fois que je verrais Jessica ! »

Après le dîner, Nina sort une grosse pile de jeux de société et met un DVD sur la vie des animaux sauvages.

— Nous verrons peut-être quelques-uns de ces animaux pendant notre excursion demain, leur dit-elle.

Charlotte sent un frisson d'excitation la parcourir alors qu'elle prend place sur le tapis à côté de Magalie. Elle a très hâte de voir les animaux.

Le DVD montre une mère kangourou. Quelqu'un a réussi à glisser une caméra dans sa poche pour filmer son minuscule bébé kangourou. Au début, il fait la taille d'un bonbon haricot puis il grandit jusqu'à ce que ses pattes soient longues et fines. Charlotte ne peut pas détacher ses yeux de l'écran.

«Je me demande comment on se sent à l'intérieur d'une poche, pense-t-elle. Pour un

J'adore les animaux!

bébé kangourou, ça doit être comme la chambre la plus douillette du monde!»

À la fin du DVD, le bébé kangourou a beaucoup grandi. Il saute dans la poche et reste un instant coincé la tête à l'envers, ses grosses pattes sortant de travers. Charlotte rit et se retourne pour regarder Magalie, détachant ses yeux de l'écran pour la première fois depuis un bon moment.

Magalie est appuyée sur un fauteuil poire et bavarde avec Jessica. Bianca et Rosalie jouent au Monopoly. D'autres enfants regardent le DVD, mais seule Jade est assise immobile comme une statue, fixant l'écran.

Puis, Jade se tourne et regarde Charlotte. Ses yeux brillent d'excitation alors qu'un sourire fend son visage.

Charlotte lui rend son sourire. Cette fois-ci, elle ne détourne pas le regard. «Je pourrais le faire maintenant, réalise Charlotte. Je pourrais demander à Jade ce que sera la surprise de demain.»

Mais le DVD n'est pas terminé et Charlotte veut continuer à le regarder. Elle est sûre que Jade le veut aussi. Elle se retourne donc vers l'écran et regarde la suite du DVD avec une agréable sensation de calme.

Quand vient le temps de se réunir en groupes à nouveau, Charlotte et les filles forment un petit cercle autour de leur bloc-notes.

Nina se déplace lentement entre les groupes alors qu'ils se rassemblent sur leurs tapis.

— Vous pouvez ajouter plus d'idées ou développer vos idées d'hier, lance-t-elle. Comment pouvez-vous transformer vos idées en quelque chose de *réel* ?

Jade vient juste de finir d'écrire quelque chose sur leur liste.

Désherber et organiser le potager.

Magalie s'allonge en appuyant ses coudes sur le tapis.

— Nous devons demander à Nina qu'elle nous donne de la bonne peinture pour la murale, dit-elle.

Jade note l'idée.

Rosalie s'agenouille près d'elle.

— Peut-être qu'on pourrait voir si ce serait possible pour tous les enfants du camp de venir autrement qu'en voiture ? dit-elle. Pas seulement notre groupe.

— Comment ? demande Jade en faisant tournoyer son stylo dans les airs.

— Bien, peut-être qu'on pourrait demander à Nina de parler aux autres, dit Jessica. Elle pourrait faire une liste de toutes les manières de se rendre ici sans voiture. Comme prendre sa bicyclette.

Magalie hoche la tête.

— Oui ! Et en patins à roues alignées ! dit-elle en faisant un clin d'œil à Charlotte.

Charlotte sourit. Alors que tous sont en train de parler de moyens de transport amusants pour se rendre au camp de jour, Charlotte rayonne de fierté. Hier, ce n'était qu'une idée toute simple, mais voilà qu'aujourd'hui elle a pris beaucoup plus d'ampleur !

— Sans blague ! entend-elle Bianca dire à Rosalie, changeant totalement de sujet. Ma grand-mère habite juste à côté !

— En fait, je passe par là chaque jour, dit Rosalie.

Tout à coup, elles se mettent toutes à parler du quartier où elles habitent.

Pendant que les fillettes bavardent, Charlotte remarque que Jade se penche en avant pour rajouter quelque chose à la liste.

Aider les animaux malades.

Charlotte ouvre tout grand les yeux en lisant ces mots. Est-ce un indice pour la surprise de demain ?

Chapitre
sept

Le lendemain matin, Charlotte fait des pirouettes de ballet et des sauts de danse pendant qu'elle se prépare. Elle est tellement excitée par l'excursion! Malgré tout, elle prend un temps fou à choisir avec soin les vêtements parfaits pour aller au Centre de conservation de la vie sauvage.

Cependant, une fois arrivée au centre communautaire, c'est seulement *dans sa tête* qu'elle continue à sauter et à danser. En apparence, elle est tranquille et silencieuse alors qu'elle monte dans l'autobus.

Cédric et un groupe de garçons sont déjà en train de se chamailler sur la banquette arrière. Jade est assise sur le siège juste devant eux. Charlotte voit Loïc se lever d'un bond et tirer une mèche de cheveux de Jade.

— Eh ! crie Jade en se retournant.

Charlotte sourit alors que Loïc se cache derrière le siège avant que Jade ne le voie.

— Où est-ce qu'on s'assoit ? demande Charlotte en se retournant vers Magalie.

— Comme tu veux, dit Magalie en haussant les épaules.

Jessica a déjà pris place près de la fenêtre, au milieu de l'autobus. Rosalie et Bianca sont assises de chaque côté de l'allée et se lancent un ballon de basket. Alors que Charlotte fait quelques pas dans l'allée, Jessica lève les yeux vers elle.

— Euh..., commence Jessica.

Mais Charlotte se sent soudain mal à l'aise et gênée. « Qu'est-ce que Jessica va dire ? » Elle ne sait pas à quoi s'attendre avec elle et ça lui donne envie de partir en courant !

Avant que Jessica n'ait le temps d'ajouter autre chose, Charlotte se glisse sur un siège à l'avant et entraîne Magalie avec elle. Elle se sent un peu impolie, mais d'un autre côté, Charlotte ne sait pas trop quoi faire d'autre.

Aujourd'hui va être une journée géniale. Charlotte est presque certaine qu'ils vont même voir quelques animaux malades ! Elle ne veut pas que Jessica gâche tout en lui rappelant à quel point elle est silencieuse ou en critiquant ses vêtements.

Pendant tout le trajet, Charlotte et Magalie se callent dans leurs sièges et parlent de toutes sortes de choses, leurs têtes à quelques centimètres l'une de l'autre. C'est agréable de ne pas avoir à penser à Jessica ou de ne pas avoir peur de se sentir gênée avec les autres filles.

Lorsque l'autobus entre finalement dans le stationnement du Centre de conservation de la vie sauvage, Nina fait signe à tout le monde de rester assis.

La porte de l'autobus s'ouvre en grinçant et une femme rousse en manteau blanc monte à bord. «Ce doit être la mère de Jade», pense Charlotte. Elles se ressemblent tellement!

— Les enfants, voici la Docteure Marie Guindon, annonce Nina en faisant un clin d'œil à Jade. C'est la mère de Jade et elle a une surprise pour vous.

— Bonjour à tous! dit la Docteure Guindon. Je suis vétérinaire ici et je travaille avec les animaux blessés. De façon exceptionnelle, je vais vous faire visiter la clinique des orphelins, où nous nous occupons des bébés malades ou blessés. Normalement, ce n'est pas ouvert aux groupes scolaires. *Et en plus* nous avons un patient très spécial qui est arrivé ce matin que vous pourrez rencontrer. Est-ce que ça vous ferait plaisir?

Un grand cri de joie résonne dans l'autobus.

Nina met un doigt sur ses lèvres pour réclamer le silence et dit :

— Nous nous séparerons en petits groupes aujourd'hui. Le groupe un commencera avec la mère de Jade, puis dans une heure on changera.

Charlotte suit Magalie hors de l'autobus. Visiter la clinique va être cool !

Loïc et les garçons de son groupe poussent des acclamations et taquinent les autres.

— Wouhou ! Le groupe un est le premier à y aller !

Bébés animaux, me voilà !

— J'aurais aimé qu'on ne soit pas les dernières à aller visiter la clinique, dit Charlotte à Magalie.

— Oui, c'est pas juste ! Peut-être que Loïc a raison et que le groupe un *est* vraiment un groupe de gagnants ! plaisante Magalie.

Charlotte entend la mère de Jade demander :

— Veux-tu rester avec moi aujourd'hui, Jade ?

Jade remue la tête.

— Non, merci, maman. Je vais rester avec ma bande.

Charlotte est surprise d'entendre cela. À son avis, elles ne forment pas vraiment une bande toutes les six. Pas avec Jessica qui parle si fort et Charlotte qui est trop timide pour dire quoi que ce soit. Ou avec Bianca si enthousiaste pour faire du sport à tout instant et Magalie qui ne veut *jamais* en faire.

«Mais c'est gentil de la part de Jade de vouloir rester avec nous», pense joyeusement Charlotte.

— Ils sont un peu, eh bien, ennuyants, admet Bianca, en plissant des yeux vers deux koalas qui somnolent dans la fourche d'un grand arbre.

— C'est parce qu'ils dorment presque vingt heures par jour, dit Nina.

Charlotte appuie ses coudes sur la rampe de bois. Il est vrai qu'ils ne font pas grand-chose, mais elle aime observer les koalas. Elle trouve ça calme, relaxant et pas ennuyant du tout.

D'ailleurs, Charlotte pense qu'elle verra quelque chose de spécial si elle reste patiente et continue à observer encore un moment. Elle et Magalie ont déjà vu un wombat pointer un gros nez hors de son terrier et renifler le sol alors que les autres s'étaient éloignés.

— Venez, les filles ! appelle Nina, plus haut dans le chemin.

Charlotte marche à côté de Magalie et Jade bavarde avec Jessica. Les quatre filles restent ensemble jusqu'à ce que, au détour du chemin, elles tombent nez à nez avec un pélican. Il bat des ailes, qui sont gigantesques, et ouvre un énorme bec.

— Oh non! dit Magalie en poussant un grand cri aigu, allant même jusqu'à trébucher dans sa hâte de s'enfuir.

Charlotte passe un bras autour des épaules de Magalie.

— N'aie pas peur. Il ne te fera pas de mal, dit-elle doucement. Pour une fois, elle sent qu'elle maîtrise totalement la situation.

Le pélican bat des ailes et continue à marcher sur le chemin. Magalie pousse un soupir de soulagement.

— Il m'a fait tellement peur, dit-elle en riant nerveusement.

Aussitôt, on entend quelqu'un pouffer de rire : c'est Jessica qui est pliée en deux.

— Tu aurais dû voir l'expression sur ton visage, Magalie ! dit-elle en riant.

— Ce bec est assez impressionnant, n'est-ce pas ? dit Jade en souriant.

Charlotte ne détache pas son regard de Magalie. « Est-elle contrariée à cause des moqueries de Jessica ? »

Mais Magalie paraît avoir à peine entendu le commentaire de Jessica. Ses yeux fixent fermement le pélican. Elle a l'air plus préoccupée par son énorme bec que par Jessica !

Chapitre
✳ huit ✳

En attendant leur tour de visiter la clinique, les fillettes découvrent plusieurs animaux intéressants — des kangourous, des échidnés et un vieux varan qui se déplace lentement. Les favoris de Charlotte sont les petits lézards tout mignons dans la maison des reptiles.

— Voici Bianca et Magalie, dit Jade, en présentant le groupe à sa mère. La Docteure

Guindon semble déjà connaître Rosalie et Jessica.

— Et tu te souviens de Charlotte? ajoute Jade. Mon amie au cours de danse?

La Docteure Guindon sourit.

— Bien sûr! Je me souviens de la Reine de la danse, «*Dancing Queen,* chantonne-t-elle» en faussant très légèrement!

Charlotte sent ses joues rougir. Elle sourit et pas simplement parce que la mère de Jade a chanté. Jade l'a présentée comme son amie!

Jade passe son bras autour des épaules de Charlotte.

— Je pense que *peut-être* Charlotte aime encore plus les animaux que moi!

La mère de Jade hausse les sourcils.

— Impossible !

À présent, tout le visage de Charlotte est rouge de plaisir. Même ses oreilles sont brûlantes ! Les bonnes pensées semblent bouillonner dans le cœur de Charlotte, la faisant se tenir plus droit et se sentir encore plus courageuse.

— Bon, entrez les filles ! s'exclame la mère de Jade en les entraînant vers une porte sur laquelle il est écrit « Réservé au personnel ».

Alors qu'elles remontent un couloir sombre, Charlotte rattrape Jade. « Je vais lui parler », se dit-elle.

— Euh, Jade..., la voix de Charlotte est faible. Elle se racle la gorge. Comment vont tes cours de danse ?

J'ai hâte de voir ce qu'il y a dans la clinique!

Pendant un instant, Jade regarde Charlotte, comme si elle était surprise de l'entendre parler. Puis, elle sourit — un grand sourire chaleureux.

— Ça va bien! Sauf qu'on doit porter un costume de grenouille cette année. Et vert est, euh...

Jessica termine sa phrase.

— Vert est juste *vert*!

Tout le monde rit. Même Charlotte se surprend à glousser.

C'est très calme à l'intérieur de la clinique. Mais Charlotte sait qu'elles ne sont pas seules. Il y a aussi des animaux vivants, avec des cœurs qui battent, et on entend parfois de petits grognements ou des reniflements.

Elles voient d'abord une minuscule chauve-souris avec une aile cassée. On dirait une toute petite boule noire au fond de sa cage. Il n'y a pas grand-chose à voir. Mais Charlotte est contente que les vétérinaires puissent aider un animal aussi petit.

Puis, les fillettes voient une tortue à long cou qui a été frappée par une voiture. La pauvre! Sa carapace est fendue à deux endroits. Les vétérinaires ont réussi à rattacher la carapace en un morceau et l'ont scellée avec une sorte de ciment spécial.

Charlotte fronce les sourcils en regardant les lignes en dents de scie sur la carapace et pense à son trajet en patins du matin. Voici une autre raison de laisser la voiture à la maison — une raison très importante !

Mais l'animal le plus mignon de la clinique est de loin le bébé wallaby. Comme sa mère est morte, les vétérinaires lui donnent du lait et prendront soin de lui jusqu'à ce qu'il soit assez grand pour se débrouiller tout seul.

Alors que les fillettes se pressent autour de la cage, la mère de Jade regarde sa montre.

— Vous savez quoi, les filles ? Vous êtes le groupe le plus chanceux ! Il est l'heure de nourrir le petit wallaby, dit-elle. Est-ce que vous voulez m'aider?

— Bien sûr! répond aussitôt Rosalie.

Charlotte regarde à travers le grillage. Elle se sent encore plus désolée pour la créature lorsqu'elle voit le petit sac de chiffon accroché sur un côté de la cage. Ce petit wallaby n'a pas accès à la poche douillette de sa maman.

La mère de Jade soulève le bébé wallaby. C'est une petite boule, d'environ la taille d'un ballon de basket. Deux yeux brillants apparaissent sur son adorable tête en forme de triangle aux oreilles pendantes.

— Salut, petit bonhomme! dit Jade. Elle caresse la tête du wallaby avec le dos de sa main.

Magalie laisse échapper un léger soupir. Rosalie étend la main pour caresser le petit kangourou.

— Oh, il est trop mignon, s'écrie Bianca.

Charlotte ne peut pas détacher ses yeux du wallaby.

— Comment s'appelle-t-il ? demande-t-elle à la mère de Jade.

— Tu sais, il n'a pas encore de nom, répond-elle. Nous avons été si occupés ici aujourd'hui que nous n'avons même pas eu le temps d'en choisir un.

La mère de Jade va ouvrir la porte de la cage.

— Bon, qui veut le prendre ? Il faudra le tenir fermement parce qu'il risque de griffer et d'essayer de s'enfuir.

Dès que la mère de Jade prononce le mot «griffer», Magalie recule.

— Griffer? demande Jessica nerveusement.

Rosalie retire sa main, mais demeure près du wallaby.

Les autres filles continuent de sourire et de s'émerveiller devant le bébé, mais elles s'en éloignent, un peu inquiètes de la réaction du wallaby. Charlotte retient sa respiration, essayant de s'imprégner des moindres détails du petit wallaby — sa fourrure foncée et son adorable petite tête.

«Je grifferais aussi si j'étais un petit wallaby dans une pièce pleine de grandes filles, pense-t-elle. Ça doit être pas mal effrayant.»

Mais Charlotte veut quand même le porter. Elle veut faire un câlin au wallaby et lui faire sentir qu'on l'aime, même si c'est pour un court instant.

— Je veux bien le prendre, dit-elle de sa voix la plus courageuse.

Chapitre neuf

Charlotte reste immobile, berçant le petit wallaby dans ses bras. C'est génial! Le wallaby est très calme et tout chaud. Elle peut le sentir bouger de temps à autre. Mais elle voit bien qu'il aime qu'on le serre fort.

La mère de Jade observe la scène en silence derrière les fillettes, leur laissant la place pour qu'elles puissent bien voir le wallaby.

Charlotte s'assoit avec le bébé wallaby et Jade lui donne un biberon de lait. Les deux fillettes sourient pendant que le wallaby tète comme un gloûton. Jade est aussi immobile qu'une statue, essayant de garder le wallaby le plus calme possible pour le laisser se concentrer sur son lait.

Autour d'elles se tiennent Magalie, Rosalie, Bianca et Jessica — elles regardent toutes le petit bébé. Jessica a les yeux écarquillés et Rosalie, la bouche grande ouverte ! Bianca et Magalie affichent toutes les deux un grand sourire.

— Combien de temps devra-t-il rester à la clinique ? chuchote Bianca à la Docteure Guindon.

— Jusqu'à ce qu'il soit assez fort pour sauter correctement et trouver à manger à l'extérieur de la réserve, répond-elle à voix basse.

Il est
si beau!

— J'aimerais tellement le ramener à la maison pour prendre soin de lui, chuchote Jessica. Ce serait le plus adorable des animaux de compagnie.

La mère de Jade sourit.

— La plupart des gens qui ont la chance de visiter la clinique des orphelins disent vouloir aider à prendre soin des petits, dit-elle.

C'est pourquoi nous avons créé une sorte de compte bancaire pour les bébés animaux, où les gens peuvent faire un don d'argent pour aider à leur acheter des biberons, du lait maternisé et des médicaments spéciaux.

Les fillettes écoutent attentivement la mère de Jade puis se tournent vers le bébé wallaby. Tout comme Charlotte et Jade, leurs mouvements sont doux et aisés. Plus elles observent le wallaby et la façon dont Charlotte et Jade gardent leur calme, plus le silence s'installe dans le groupe.

C'est comme si toutes les fillettes partageaient le même souhait: prendre soin du petit wallaby.

Pour la première fois, les fillettes n'ont pas l'air si différentes que ça.

Quand elle sort de la clinique, Charlotte cligne des yeux à cause du soleil. Il fait très clair par rapport à l'intérieur. Autour d'elle, le reste du groupe se frotte ou cligne les yeux, comme si chacune venait de se réveiller d'un sommeil profond.

— Ouaouh! Trop cool, non? lance Charlotte avec naturel.

Tout le monde hoche la tête. Puis, elles se mettent toutes à parler en même temps.

— Ses yeux! La façon dont il nous regardait, dit Bianca en laissant échapper un soupir de bonheur.

— Et ses petites pattes adorables, dit Jade en souriant.

— Ses grandes pattes pendantes, tu veux dire ! dit Rosalie en riant.

Jessica mime une étreinte.

— Je voulais juste lui faire un câlin, comme à un ours en peluche.

Magalie sourit.

— Même ses moustaches étaient adorables.

Charlotte hoche la tête. Elle aime voir comment chacune se souvient d'un détail différent à propos du petit wallaby. Les fillettes se dirigent vers le stationnement, en marchant en cadence comme une troupe de danse. Puis, elles montent dans l'autobus et vont directement s'installer sur la banquette arrière.

Lorsque Charlotte arrive au bout de l'allée, Rosalie, Bianca et Jade occupent déjà la moitié de la banquette.

Elle se faufile de l'autre côté pour s'installer près de la fenêtre, s'attendant à ce que Magalie se glisse à ses côtés.

Mais à la grande surprise de Charlotte, c'est Jessica qui s'assoit à côté d'elle.

— Salut Charlotte, ça fait un moment que je veux te parler, dit Jessica avec un grand sourire.

Pendant un instant, Charlotte pense à essayer de s'échapper. Mais d'une certaine façon, elle se sent plus proche de Jessica maintenant. Elles viennent juste de partager un moment spécial avec le wallaby. Charlotte regarde Jessica et attend.

— Tes vêtements ! poursuit Jessica en penchant la tête. Ils ne sont pas vraiment *à la mode...*

Charlotte se mord la lèvre et baisse les yeux. «Et voilà! pense-t-elle. Jessica va dire quelque chose de méchant.»

— En tout cas, pas comme ce qu'on verrait dans les magazines. Mais ils sont tellement... tellement *toi*! Tu as vraiment ton propre style cool, Charlotte.

Il y a une secousse alors que l'autobus démarre.

— Tu crois vraiment? dit Charlotte doucement, un peu surprise.

Elle regarde ses mains, en pensant à la journée précédente, lorsqu'ils ont dessiné des monstres. «Donc, Jessica ne pensait rien de méchant?»

— J'adore la mode, tu sais? dit Jessica. Mais c'est difficile de trouver son propre style.

Charlotte hoche la tête, ne sachant pas trop quoi répondre. Elle regarde par la fenêtre avant de se retourner vers Jessica.

— Oui, je sais, tente-t-elle.

Mais elle sait tout de suite en voyant l'expression sur le visage de Jessica que ce n'était pas la *bonne* chose à dire. Le front de Jessica se plisse légèrement et elle pince ses lèvres.

Avant que Charlotte n'ait le temps de dire quoi que ce soit d'autre, Jessica se lève d'un bond pour aller se faufiler entre Bianca et Jade.

— Qu'est-ce qu'il y a? demande Jade à Jessica.

À cause du bruit de l'autobus, Charlotte doit vraiment se concentrer pour écouter, mais elle entend exactement ce que Jessica répond.

— Pour qui elle se prend, ce petit hérisson ? se plaint Jessica. Elle ne veut même pas m'adresser la parole !

Charlotte cesse d'écouter après ça. Elle regarde par la fenêtre, en essayant de ne pas pleurer. « Bon, puisque c'est comme ça, Jessica est une mouette criarde ! », pense Charlotte.

✳

Chapitre dix

Après quelques instants, Rosalie et Bianca commencent à faire du bruit en s'amusant. Elles sont vraiment drôles ! Elles font des coucous aux voitures arrêtées derrière le bus aux feux rouges et poussent des cris de joie quand quelqu'un leur répond. Charlotte décide d'oublier Jessica pour l'instant.

Jade les rejoint très vite, puis Magalie, et bientôt les six fillettes agitent leurs mains comme des folles, essayant d'attirer l'attention des gens.

À un moment donné, Bianca se retrouve à côté de Charlotte.

— Trouvons les conducteurs les plus grincheux et essayons de les faire sourire, dit Bianca.

— D'accord, dit Charlotte en hochant la tête.

Peu de temps après, l'autobus s'arrête à un feu rouge. Une femme prend place dans la voiture derrière eux. Elle a la tête appuyée contre son dossier, les yeux à moitié fermés. Elle n'a pas l'air de mauvaise humeur, juste fatiguée.

— Eh, madame ! Bonjooouuur ! crie Bianca, en agitant les bras au-dessus de sa tête avant de cogner sur la vitre.

Magalie et Jessica commencent à lui faire des signes, elles aussi.

C'est amusant de faire un peu les folles avec les autres filles. Charlotte rit pendant qu'elle agite son bras, envoyant un message en pensée à la femme. « Par ici ! Regardez par ici ! »

En bâillant, la conductrice lève les yeux.

Puis, elle grimace et regarde la scène. Cela doit avoir l'air plutôt comique, un groupe d'enfants qui font les fous à l'arrière d'un autobus. Après quelques secondes, la femme rit et leur fait des signes de la main en retour. Elle sourit encore lorsqu'elle démarre. Les six fillettes poussent des cris de joie.

— Wouhou ! Topez là ! s'exclame Bianca, en levant la main.

Charlotte tope dans la main de Bianca, en éclatant de rire.

Lorsque l'autobus s'arrête devant le centre communautaire, Charlotte est triste que la journée soit presque terminée.

Tout le monde descend de l'autobus, fatigué mais content. Quelques parents attendent déjà leurs enfants.

Charlotte voit un garçon qui paraît avoir l'âge d'aller à l'école secondaire s'approcher à pas de loup derrière Rosalie. Il lui fait *bouh !*, la faisant sursauter. Lorsqu'elle se retourne, Rosalie a déjà son bras en l'air prête à lui donner un coup de poing pour jouer. Et quel coup de poing !

Alors que Rosalie court à l'intérieur pour chercher sa planche à roulettes, Charlotte continue à regarder le garçon. Elle se sent mal de le fixer ainsi, mais elle n'y peut rien. Le garçon est très mignon ! Cheveux blonds en brosse, yeux bleu-gris, vêtements cool...

Il ne peut pas être le frère de Rosalie, décide Charlotte, puisque Rosalie est d'origine chinoise. «Qui est-il donc?», se demande-t-elle en rougissant.

Elle court chercher ses affaires à l'intérieur. Dans la salle, le reste du groupe se tient en cercle et bavarde. Charlotte sort ses patins à roues alignées avant de glisser son sac sur son épaule. Elle se dirige vers le groupe.

— De quoi parlez-vous? demande Charlotte, en se frayant une place entre Magalie et Jade.

— De notre sujet favori, répond Bianca. Elle met ses mains sur sa tête pour faire des oreilles. Le pauvre petit wallaby orphelin!

— Tu as été très courageuse de le prendre dans tes bras, Charlotte, dit Rosalie.

Charlotte secoue la tête en souriant.

— Ce n'était pas effrayant ! dit-elle.

Mais c'est drôle d'entendre Rosalie lui dire qu'elle est courageuse. Rosalie semble n'avoir peur de rien !

Magalie soupire.

— Je n'arrête pas de l'imaginer tout seul dans cette cage...

— ... juste lui et ses grosses pattes bouffies, dit Rosalie en riant.

Ça fait sourire tout le groupe.

— Eh ! Voici un nom qui lui irait bien — Bouffi ! dit Jessica. Jade, est-ce que le personnel de la clinique nous laisseraient l'appeler comme ça ?

Jade hausse les épaules.

— Je demanderai à ma mère, mais pourquoi pas ?

Bouffi est un nom adorable!

— Ce serait génial, dit Magalie en faisant un grand sourire. Bouffi est parfait. Ça lui va bien!

Rosalie soulève sa planche à roulettes.

— Je suis contente d'avoir pu aider à lui trouver un nom, même sans m'en rendre compte! dit-elle. Je ferais mieux d'y aller maintenant. À demain!

Les autres se dirigent aussi vers la sortie.

— À plus tard! dit Jessica en faisant un signe de la main au groupe.

Charlotte s'agenouille et commence à enfiler ses patins.

— Salut, Jessica! Salut, Charlotte! crie Bianca, en faisant tourner un ballon de basket entre ses mains.

Charlotte lui fait un signe de la main.

— Salut, Bianca! lance-t-elle d'une voix forte.

Elle regarde Bianca tourner au coin et remonter la rue, en soufflant sur sa frange pour dégager son front.

Cela donne une idée à Charlotte. «Peut-être que je pourrais prêter un de mes bandeaux à Bianca, pense-t-elle. Elle serait très jolie en le portant.»

Charlotte fixe son deuxième patin et se met debout. Elle n'est plus gênée par les gens qui la regardent.

En fait, après cette journée, Charlotte se sent plutôt intrépide et courageuse! L'excursion au Centre de conservation de la vie sauvage a été absolument géniale. Et pas seulement grâce aux animaux.

Charlotte sent que quelque chose d'autre est arrivé aujourd'hui. C'est comme si toute la bande s'était rapprochée. Ce n'est plus seulement un groupe de presque-amies qui ne se connaissent pas vraiment.

Après cette journée, les fillettes sont pratiquement des amies *à part entière* !

«Bon, sauf Jessica et moi, pense Charlotte. Mais je ne sais pas si on finira par s'entendre, un jour...»

❊ À suivre ❊

À suivre dans

Jessica
la coquette

Charlotte et Jessica
finiront-elles
par s'entendre ?

Lorsque Jessica
prend en charge
le défilé de mode,
cela ne plaît pas
à tout le monde…

Six filles en vacances

GO GIRL!
La bande des Six

Différentes mais ensemble.

Imprimé au Canada